貝の火
宮沢賢治・作
おくはらゆめ・絵

今は兎たちは、みんなみじかい茶色の着物です。
野原の草はきらきら光り、あちこちの樺の木は白い花をつけました。
実に野原はいい匂で一杯です。
子兎のホモイは、悦んでぴんぴん踊りながら申しました。
「ふん、いい匂だなあ。うまいぞ、うまいぞ、鈴蘭なんかまるでパリパリだ。」
風が来たので鈴蘭は、葉や花を互いにぶっつけて、しゃりんしゃりんと鳴りました。
ホモイはもう嬉しくて、息もつかずにぴょんぴょん草の上をかけ出しました。
それからホモイは一寸立ちどまって、腕を組んでほくほくしながら、
「まるで僕は川の波の上で芸当をしているようだぞ。」と云いました。

本当にホモイは、いつか小さな流れの岸まで来て居りました。
そこには冷たい水がこぼんこぼんと音をたて、底の砂がピカピカ光っています。
ホモイは一寸頭を曲げて、
「この川を向こうへ跳び越えてやろうかな。なあに訳ないさ。
けれども川の向こう側は、どうも草が悪いからね。」とひとりごとを云いました。
すると不意に流れの上の方から、
「ブルルル、ピイ、ピイ、ピイ、ピイ、ブルルル、ピイ、ピイ、ピイ、ピイ。」
とけたたましい声がして、うす黒いもじゃもじゃした鳥のような形のものが、
ばたばたばたばたもがきながら、流れて参りました。
ホモイは急いで岸にかけよって、じっと待ちかまえました。

流されるのは、たしかに痩せたひばりの子供です。

ホモイはいきなり水の中に飛び込んで、前あしでしっかりそれを捉まえました。

するとそのひばりの子供は、いよいよびっくりして、黄色なくちばしを大きくあけて、
まるでホモイのお耳もつんぼになる位鳴くのです。

ホモイはあわてて一生けん命、あとあしで水をけりました。そして「大丈夫さ、大丈夫さ。」

と云いながら、その子の顔を見ますと、ホモイはぎょっとして危なく手をはなしそうになりました。

それは顔中しわだらけで、くちばしが大きくて、おまけにどこかとかげに似ているのです。

けれどもこの強い兎の子は、決してその手をはなしませんでした。怖ろしさに口をへの字にしながらも、それをしっかりおさえて、高く水の上にさしあげたのです。

そして二人は、どんどん流されました。ホモイは二度ほど波をかぶったので、水を余程呑みました。それでもその鳥の子ははなしませんでした。

すると丁度、小流れの曲りかどに、一本の小さな楊の枝が出て、水をピチャピチャ叩いて居りました。ホモイはいきなりその枝に、青い皮の見える位深くかみつきました。そして力一杯にひばりの子を岸の柔らかな草の上に投げあげて、自分も一とびにはね上りました。

ひばりの子は草の上に倒れて、
目を白くしてガタガタ顫えています。
　ホモイも疲れてよろよろしましたが、
無理にこらえて、楊の白い花をむしって来て、
ひばりの子に被せてやりました。
ひばりの子はありがとうと云うように
その鼠色の顔をあげました。
　ホモイはそれを見るとぞっとして、
いきなり跳び退きました。
そして声をたてて逃げました。
　その時、空からヒュウと
矢のように降りて来たものがあります。
ホモイは立ちどまって、ふりかえって見ると、
それは母親のひばりでした。
母親のひばりは、物も言えずにぶるぶる顫えながら、
子供のひばりを強く強く抱いてやりました。
　ホモイはもう大丈夫と思ったので、
一目散におとうさんのお家へ走って帰りました。

兎のお母さんは、丁度、お家で白い草の束をそろえて居りましたが、ホモイを見てびっくりしました。

そして
「おや、どうかしたのかい。大変顔色が悪いよ。」と云いながら棚から薬の箱をおろしました。

「おっかさん、僕ね、もじゃもじゃの鳥の子の溺れるのを助けたんです。」とホモイが云いました。

兎のお母さんは箱から万能散を一服出してホモイに渡して、

「もじゃもじゃの鳥の子ってひばりかい。」と尋ねました。

ホモイは薬を受けとって、

「多分ひばりでしょう。ああ頭がぐるぐるする。お母さん。まわりが変に見えるよ。」と云いながら、
そのままバッタリ倒れてしまいました。ひどい熱病にかかったのです。

ホモイがおとうさんやおっかさんや、兎のお医者さんのおかげで、すっかりよくなったのは、鈴蘭にみんな青い実ができた頃でした。

ホモイは、或る雲の無い静かな晩、はじめてうちから一寸出て見ました。

南の空を、赤い星がしきりにななめに走りました。ホモイはうっとりそれを見とれました。

すると不意に、空でブルルッとはねの音がして、二疋の小鳥が降りて参りました。

大きい方は、円い赤い光るものを大事そうに草におろして、恭々しく手をついて申しました。

「ホモイさま。あなたさまは私ども親子の大恩人でございます。」

ホモイは、その赤いものの光で、よくその顔を見て云いました。

「あなた方は先頃のひばりさんですか。」

母親のひばりは、
「さようでございます。先日はまことにありがとうございました。
せがれの命をお助け下さいまして誠にありがとう存じます。
あなた様はその為に、ご病気にさえおなりになったとの事で
ございましたが、もうお宜しゅうございますか。」
親子のひばりは、沢山おじぎをして又申しました。
「私共は毎日この辺を飛びめぐりまして、あなたさまの
外へお出なさいますのをお待ち致して居りました。
これは私どもの王からの贈物でございます。」と云いながら、
ひばりはさっきの赤い光るものをホモイの前に出して、
薄いうすいけむりのようなはんけちを解きました。

それはとちの実位あるまんまるの玉で、中では赤い火がちらちら燃えているのです。
ひばりの母親が又申しました。
「これは貝の火という宝珠でございます。王さまのお言伝では
あなた様のお手入れ次第で、この珠はどんなにでも立派になると申します。
どうかお納めをねがいます。」
ホモイは笑って云いました。
「ひばりさん。僕はこんなものいりませんよ。持って行って下さい。
大変きれいなもんですから、見る丈けで沢山です。
見たくなったら又あなたの所へ行きましょう。」
ひばりが申しました。
「いいえ、それはどうかお納めをねがいます。私共の王からの贈物でございますから。
お納め下さらないと、又私はせがれと二人で切腹をしないとなりません。
さ、せがれ。お暇をして。さ。おじぎ。ご免下さいませ。」
そしてひばりの親子は二三遍お辞儀をしてあわてて飛んで行ってしまいました。
ホモイは玉を取りあげて見ました。
玉は赤や黄の焔をあげてせわしくせわしく燃えているように見えますが、
実はやはり冷たく美しく澄んでいるのです。目にあてて空にすかして見ると、
もう焔は無く、天の川が奇麗にすきとおっています。
目からはなすと又ちらりちらり美しい火が燃え出します。

ホモイはそっと玉を捧げて、おうちへ入りました。そしてすぐお父さんに見せました。
すると兎のお父さんが玉を手にとって、目がねをはずしてよく調べてから申しました。

「これは有名な貝の火という宝物だ。これは大変な玉だぞ。
これをこのまま一生満足に持っている事のできたものは
今までに鳥に二人魚に一人あっただけだという話だ。
お前はよく気を付けて光をなくさないようにするんだぞ。」

ホモイが申しました。

「それは大丈夫ですよ。僕は決してなくしませんよ。そんなようなことはひばりも云っていました。
僕は毎日百遍ずつ息をふきかけて百遍ずつ紅雀の毛でみがいてやりましょう。」

兎のおっかさんも、玉を手にとってよくよく眺めました。そして云いました。

「この玉は大変損じ易いという事です。けれども、又亡くなった鷲の大臣が持っていた時は、
大噴火があって大臣が鳥の避難の為に、あちこちさしずをして歩いている間に
この玉が山程ある石に打たれたり、まっかな熔岩に流されたりしても、一向きずも曇りもつかないで
却って前より美しくなったという話ですよ。」

兎のおとうさんが申しました。

「そうだ。それは名高いはなしだ。お前もきっと鷲の大臣のような名高い人になるだろう。
よく意地悪なんかしないように気を付けないといけないぞ。」

ホモイはつかれてねむくなりました。そして自分のお床にコロリと横になって云いました。

「大丈夫だよ。僕なんかきっと立派にやるよ。玉は僕持って寝るんだから下さい。」

兎のおっかさんは玉を渡しました。ホモイはそれを胸にあててすぐねむってしまいました。

その晩の夢の奇麗なことは、
黄や緑の火が空で燃えたり、
野原が一面黄金の草に変ったり、
沢山の小さな風車が
蜂のように微かにうなって
空中を飛んであるいたり、
仁義をそなえた鷲の大臣が、
銀色のマントをきらきら波立てて
野原を見まわったり、
ホモイは嬉しさに何遍も、
「ホウ。やってるぞ、やってるぞ。」
と声をあげた位です。

あくる朝、ホモイは七時頃目をさまして、まず第一に玉を見ました。玉の美しいことは、昨夜よりもっとです。ホモイは玉をのぞいて、ひとりごとを云いました。

「見える、見える。あそこが噴火口だ。そら火をふいた。ふいたぞ。面白いな。まるで花火だ。おや、おや、おや、火がもくもく湧いている。二つにわかれた。奇麗だな。火花だ。火花だ。まるでいなずまだ。そら流れ出したぞ。すっかり黄金色になってしまった。うまいぞうまいぞ。そら又火をふいた。」

おとうさんはもう外へ出ていました。おっかさんがにこにこして、おいしい白い草の根や青いばらの実を持って来て云いました。

「さあ早くおかおを洗って、今日は少し運動をするんですよ。どれ一寸お見せ。まあ本当に奇麗だね。お前がおかおを洗っている間おっかさんは見ていてもいいかい。」

ホモイが云いました。

「いいとも。これはうちの宝物なんだから、おっかさんのだよ。」

そしてホモイは立って家の入り口の鈴蘭の葉さきから、大粒の露を六つ程取ってすっかりお顔を洗いました。

ホモイはごはんがすんでから、玉へ百遍息をふきかけそれから百遍紅雀の毛でみがきました。そして大切に紅雀のむな毛につつんで、今まで兎の遠めがねを入れて置いた瑪瑙の箱にしまってお母さんにあずけました。そして外に出ました。

風が吹いて草の露がバラバラとこぼれます。つりがねそうが朝の鐘を
「カン、カン、カンカエコ、カンコカンコカン。」
と鳴らしています。ホモイはぴょんぴょん跳んで樺の木の下に行きました。
すると向こうから、年を老った野馬がやって参りました。
ホモイは少し怖くなって戻ろうとしますと馬は丁寧におじぎをして云いました。
「あなたはホモイさまでござりますか。
こんど貝の火がお前さまに参られましたそうで実に祝着に存じまする。
あの玉がこの前獣の方に参りましてからもう千二百年たっていると申しまする。
いや、実に私めも今朝そのおはなしを承わりまして涙を流してござります。」
馬はボロボロ泣きだしました。ホモイは呆れていましたが、
馬があんまり泣くものですから、ついつりこまれて一寸鼻がせらせらしました。
馬は風呂敷位ある浅黄のはんけちを出して涙をふいて申しました。
「あなた様は私共の恩人でございます。
どうかくれぐれもおからだを大事になされて下さいませ。」
そして馬は丁寧におじぎをして向こうへ歩いて行きました。

ホモイは何だか嬉しいような気がしてぼんやり考えながら、にわとこの木の陰に行きました。するとそこに若い二疋の栗鼠が、仲よく白いお餅を食べて居りましたがホモイの来たのを見ると、びっくりして立ちあがって急いできもののえりを直し、目を白黒させて餅をのみ込もうとしたりしました。

ホモイはいつものように、

「りすさん。お早う。」とあいさつをしましたが、りすは二疋共堅くなってしまって、一向語も出ませんでした。ホモイはあわてて

「りすさん。今日も一緒にどこか遊びに行きませんか。」と云いますと、りすは飛んでもないと云うように目をまん円にして顔を見合せて、それからいきなり向こうを向いて一生けん命逃げて行ってしまいました。

ホモイは呆れてしまいました。そして顔色を変えてうちへ戻って来て

「おっかさん。何だかみんな変な工合ですよ。りすさんなんか、もう僕を仲間はずれにしましたよ。」と云いますと兎のおっかさんが笑って答えました。

「それはそうですよ。お前はもう立派な人になったんだから、りすなんか恥ずかしいのです。ですからよく気をつけてあとで笑われないようにするんですよ。」

ホモイが云いました。

「おっかさん。それは大丈夫ですよ。そんなら僕はもう大将になったんですか。」

おっかさんも嬉しそうに

「まあそうです。」と申しました。

ホモイが悦んで踊りあがりました。

「うまいぞ。うまいぞ。もうみんな僕のてしたなんだ。狐なんかもうこわくも何ともないや。おっかさん。僕ね、りすさんを少将にするよ。馬はね、馬は大佐にしてやろうと思うんです。」

おっかさんが笑いながら、

「そうだね、けれどもあんまりいばるんじゃありませんよ。」と申しました。

ホモイは
「大丈夫ですよ。おっかさん、僕一寸外へ行って来ます。」

と云ったままぴょんと野原へ飛び出しました。

するとすぐ目の前を意地悪の狐が風のように走って行きます。

ホモイはぶるぶる顫えながら思い切って叫んで見ました。

「待て。狐。僕は大将だぞ。」

狐がびっくりしてふり向いて顔色を変えて申しました。

「へい。存じて居ります。へい、へい。何かご用でございますか。」

ホモイができる位威勢よく云いました。

「お前はずいぶん僕をいじめたな。今度は僕のけらいだぞ。」

狐は卒倒しそうになって、頭に手をあげて答えました。

「へいお申し訳もございません。どうかお赦しをねがいます。」

ホモイは嬉しさにわくわくしました。

「特別に許してやろう。
お前を少尉にする。よく働いて呉れ。」
狐が悦んで四遍ばかり廻りました。
「へいへい。ありがとう存じます。
どんな事でもいたします。
少しとうもろこしを盗んで
参りましょうか。」
ホモイが申しました。
「いや、それは悪いことだ。
そんなことをしてはならん。」
狐は頭を掻いて申しました。
「へいへい。これからは決していたしません。
何でもおいいつけを待っていたします。」
ホモイは云いました。
「そうだ。用があったら呼ぶからあっちへ行っておいで。」
狐はくるくるまわっておじぎをして
向こうへ行ってしまいました。
ホモイは嬉しくてたまりません。
野原を行ったり来たりひとりごとを云ったり、
笑ったりさまざまの楽しいことを考えているうちに、
もうお日様が砕けた鏡のように樺の木の向こうに落ちましたので、
ホモイも急いでおうちに帰りました。
兎のおとうさまももう帰っていて、その晩は様々のご馳走がありました。
ホモイはその晩も美しい夢を見ました。

次の日ホモイは、お母さんに云いつけられて笊を持って野原に出て、鈴蘭の実を集めながらひとりごとを云いました。

「ふん、大将が鈴蘭の実を集めるなんておかしいや。誰かに見つけられたらきっと笑われるばかりだ。狐が来るといいがなあ。」

すると足の下が何だかもくもくしました。見るとむぐらが土をくぐってだんだん向こうへ行こうとします。ホモイは叫びました。

「むぐら、むぐら、むぐらもち、お前は僕の偉くなったことを知ってるかい。」

むぐらが土の中で云いました。

「ホモイさんでいらっしゃいますか。よく存じて居ります。」

ホモイは大威張りで云いました。

「そうか。そんならいいがね。僕、お前を軍曹にするよ。その代り少し働いて呉れないかい。」

むぐらはびくびくして尋ねました。

「へいどんなことでございますか。」

ホモイがいきなり

「鈴蘭の実を集めておくれ。」と云いました。

むぐらは土の中で冷汗をたらして頭をかきながら、

「さあ誠に恐れ入りますが私は明るい所の仕事は一向無調法でございます。」と云いました。

ホモイは怒ってしまって、

「そうかい。そんならいいよ。頼まないからあとで見ておいで。ひどいよ。」と叫びました。

むぐらは
「どうかご免をねがいます。私は長くお日様を見ますと死んでしまいますので。」としきりにおわびをします。

ホモイは足をばたばたして
「いいよ。もういいよ。だまっておいで。」
と云いました。

その時向こうのにわとこの陰からりすが五疋ちょろちょろ出て参りました。

そしてホモイの前にぴょこぴょこ頭を下げて申しました。

「ホモイさま、どうか私共に鈴蘭の実をお採らせ下さいませ。」

ホモイが

「いいとも。さあやって呉れ。お前たちはみんな僕の少将だよ。」

りすがきゃっきゃっ悦んで仕事にかかりました。

この時向こうから仔馬が六疋走って来てホモイの前にとまりました。その中の一番大きなのが

「ホモイ様。私共にも何かおいいつけをねがいます。」と申しました。ホモイはすっかり悦んで

「いいとも。お前たちはみんな僕の大佐にする。僕が呼んだら、きっとかけて来ておくれ。」

といいました。仔馬も悦んではねあがりました。

むぐらが土の中で泣きながら申しました。

「ホモイさま、どうか私にもできるようなことをおいいつけ下さい。きっと立派にいたしますから。」

ホモイはまだ怒っていましたので、

「お前なんかいらないよ。今に狐が来たらお前たちの仲間をみんなひどい目にあわしてやるよ。見ておいで。」と足ぶみをして云いました。

土の中ではひっそりとして声もなくなりました。

それからりすは、夕方迄に鈴蘭の実を沢山集めて、大騒ぎをしてホモイのうちへ運びました。

おっかさんが、その騒ぎにびっくりして出て見て云いました。

「おや、どうしたの、りすさん。」

ホモイが横から口を出して

「おっかさん。僕の腕前をごらん。まだまだ僕はどんな事でもできるんですよ。」と云いました。

兎のお母さんは返事もなく黙って考えて居りました。

すると丁度兎のお父さんが戻って来てその景色をじっと見てから申しました。

「ホモイ、お前は少し熱がありはしないか。むぐらを大変おどしたそうだな。むぐらの家ではもうみんなきちがいのようになって泣いてるよ。それにこんなに沢山の実を全体誰がたべるのだ。」

ホモイは泣きだしました。りすはしばらく気の毒そうに立って見て居りましたがとうとうこそこそみんな逃げてしまいました。

兎のお父さんが又申しました。

「お前はもうだめだ。貝の火を見てごらん。きっと曇ってしまっているから。」

兎のおっかさんまでが泣いて、前かけで涙をそっと拭いながらあの美しい玉のはいった瑪瑙の函を戸棚から取り出しました。

兎のおとうさんは函を受けとって蓋をひらいて驚きました。

珠は一昨日の晩よりももっともっと赤くもっと速く燃えているのです。

みんなはうっとりみとれてしまいました。兎のおとうさんはだまって玉をホモイに渡してご飯を食べはじめました。ホモイもいつか涙が乾きみんなは又気持よく笑い出し一緒にご飯をたべてやすみました。

次の朝早くホモイは又野原に出ました。今日もよいお天気です。けれども実をとられた鈴蘭は、もう前のようにしゃりんしゃりんと葉を鳴らしませんでした。

向こうの向こうの青い野原のはずれから、狐が一生けん命に走って来て、ホモイの前にとまって、

「ホモイさん。昨日りすに鈴蘭の実を集めさせたそうですね。どうです。今日は私がいいものを見附けて来てあげましょう。それは黄色でね、もくもくしてね、失敬ですが、ホモイさん、あなたなんかまだ見たこともないやつですぜ。それから、昨日むぐらに罰をかけると仰ったそうですね。あいつは元来横着だから、川の中へでも追いこんでやりましょう。」と云いました。

ホモイは

「むぐらは許しておやりよ。僕もう今朝許したよ。けれどそのおいしいたべものは少しばかり持って来てごらん。」と云いました。

「合点合点。十分間だけお待ちなさい。十分間ですぜ。」と云って狐はまるで風のように走って行きました。

ホモイはそこで高く叫びました。

「むぐら、むぐら、むぐらもち。もうお前は許してあげるよ。泣かなくてもいいよ。」

土の中はしんとして居りました。

狐が又向こうから走って来ました。そして
「さあおあがりなさい。これは天国の天ぷらというもんですぜ。最上等の所です。」
と云いながら盗んで来た角パンを出しました。
ホモイは一寸たべて見たら、実にどうもうまいのです。そこで狐に
「こんなものどの木に出来るのだい。」とたずねますと
狐が横を向いて一つ「ヘン」と笑ってから申しました。
「台所という木ですよ。ダアイドコロという木ね。おいしかったら毎日持って来てあげましょう。」
ホモイが申しました。
「それではね毎日きっと三つずつ持って来ておくれ。ね。」
狐がいかにもよくのみこんだというように目をパチパチさせて云いました。
「へい。よろしゅうございます。その代り私の鶏をとるのを、あなたがとめてはいけませんよ。」
「いいとも」とホモイが申しました。
すると狐が
「それでは今日の分、もう二つ持って来ましょう。」と云いながら又風のように走って行きました。
ホモイはそれをおうちに持って行ってお父さんやお母さんにあげる時の事を考えて居ました。
お父さんだって、こんな美味しいものは知らないだろう。僕はほんとうに孝行だなあ。
狐が角パンを二つくわえて来てホモイの前に置いて、
急いで「さよなら」と云いながらもう走っていってしまいました。ホモイは
「狐は一体毎日何をしているんだろう。」とつぶやきながらおうちに帰りました。

今日はお父さんとお母さんとが、
お家の前で鈴蘭の実を天日にほして居りました。

ホモイが

「お父さん。いいものを持って来ましたよ。あげましょうか。
まあ一寸たべてごらんなさい。」

と云いながら角パンを出しました。

兎のお父さんはそれを受けとって眼鏡を外して、
よくよく調べてから云いました。

「お前はこんなものを狐にもらったな。これは盗んで来たもんだ。
こんなものをおれは食べない。」

そしておとうさんは
も一つホモイのお母さんにあげようと持っていた分も、いきなり取りかえして
自分のと一緒に土に投げつけてむちゃくちゃにふみにじってしまいました。

ホモイはわっと泣きだしました。兎のお母さんも一緒に泣きました。

お父さんがあちこち歩きながら、

「ホモイ、お前はもう駄目だ。玉を見てごらん。
もうきっと砕けているから。」と云いました。

お母さんが泣きながら函を出しました。

玉はお日さまの光を受けてまるで天上に昇って行きそうに美しく燃えました。

お父さんは玉をホモイに渡してだまってしまいました。

ホモイも玉を見ていつか涙を忘れてしまいました。

次の日ホモイは又野原に出ました。

狐が走って来てすぐ角パンを三つ渡しました。ホモイはそれを急いで台所の棚の上に載せて又野原に来ますと狐がまだ待って居て云いました。

「ホモイさん。何か面白いことをしようじゃありませんか。」

ホモイが「どんなこと?」とききますと狐が云いました。

「むぐらを罰にするのはどうです。あいつは実にこの野原の毒むしですぜ。そしてなまけものですぜ。あなたが一遍許すって云ったのなら今日は私だけでひとつむぐらをいじめますからあなたはだまって見ておいでなさい。いいでしょう。」

ホモイは
「うん。毒むしなら少しいじめてもよかろう。」と云いました。

狐は、しばらくあちこち地面を嗅いだり、とんとんふんでみたりしていましたが、とうとう一つの大きな石を起しました。するとその下にむぐらの親子が八疋かたまってぶるぶるふるえて居りました。狐が
「さあ、走れ、走らないと、噛み殺すぞ。」といって足をどんどんしました。

むぐらの親子は
「ごめん下さい、ごめん下さい。」と云いながら逃げようとするのですがみんな目が見えない上に足が利かないものですからただ草を掻くだけです。

一番小さな子はもう仰向けになって気絶したようです。

狐ははがみをしました。

ホモイも思わず「シッシッ」と云って足を鳴らしました。

その時、「こらっ何をする。」と云う大きな声がして、
狐がくるくると四遍ばかりまわってやがて一目散に逃げました。
見るとホモイのお父さんが来ているのです。
お父さんは、急いでむぐらをみんな穴に入れてやって、上へもとのように石をのせて、
それからホモイの首すじをつかんで、ぐんぐんおうちへ引いて行きました。
おっかさんが出て来て泣いておとうさんにすがりました。お父さんが云いました。
「ホモイ。お前はもう駄目だぞ。今日こそ貝の火は砕けたぞ。出して見ろ。」
お母さんが涙をふきながら函を出して来ました。お父さんは函の蓋を開いて見ました。

するとお父さんはびっくりしてしまいました。貝の火が今日位美しいことはまだありませんでした。

それはまるで赤や緑や青や様々の火が烈しく戦争をして、地雷火をかけたり、のろしを上げたり、
又いなずまが閃いたり、光の血が流れたり、そうかと思うと水色の焔が玉の全体をパッと占領して、
今度はひなげしの花や、黄色のチュウリップ、薔薇やほたるかずらなどが、
一面風にゆらいだりしているように見えるのです。

兎のお父さんは黙って玉をホモイに渡しました。

ホモイは間もなく涙も忘れて貝の火を眺めてよろこびました。

おっかさんもやっと安心して、おひるの支度をしました。

みんなは座って角パンを喰べました。

お父さんが云いました。

「ホモイ。狐には気をつけないといけないぞ。」

ホモイが申しました。

「お父さん。大丈夫ですよ。狐なんか何でもありませんよ。

僕には貝の火があるのですもの。あの玉が砕けたり曇ったりするもんですか。」

お母さんが申しました。

「本当にね、いい宝石だね。」

ホモイは得意になって云いました。

「お母さん。僕はね、うまれつきあの貝の火と離れないようになってるんですよ。

たとえ僕がどんな事をしたってあの貝の火がどこかへ飛んで行くなんてそんな事があるもんですか。

それに僕毎日百ずつ息をかけてみがくんですもの。」

「実際そうだといいがな。」とお父さんが申しました。

その晩ホモイは夢を見ました。
高い高い錐のような山の頂上に片脚で立っているのです。
ホモイはびっくりして泣いて目をさましました。

次の朝ホモイは又野に出ました。
今日は陰気な霧がジメジメ降っています。木も草もじっと黙り込みました。
ぶなの木さえ葉をちらっとも動かしません。
ただあのつりがねそうの朝の鐘だけは高く高く空にひびきました。
「カンカンカンカエコカンコカンコカンコカン。」
おしまいの音がカアンと向こうから戻って来ました。
そして狐が角パンを三つ持って
半ズボンをはいてやって来ました。

「狐。お早う。」とホモイが云いました。
狐はいやな笑いようをしながら
「いや、昨日はびっくりしましたぜ。ホモイさんのお父さんも随分頑固ですな。
しかしどうです。すぐご機嫌が直ったでしょう。今日は一つうんと面白いことをやりましょう。
動物園をあなたは嫌いですか。」と云いました。
　ホモイが
「うん。嫌いではない。」と申しました。
狐が懐から小さな網を出しました。そして
「そら、こいつをかけて置くととんぼでも蜂でも雀でもかけすでも、もっと大きなやつでも
ひっかかりますぜ。それを集めて一つ動物園をやろうじゃありませんか。」と云いました。
ホモイは一寸その動物園の景色を考えて見てたまらなく面白くなりました。そこで
「やろう。けれども、大丈夫その網でとれるかい。」と云いました。
狐がいかにもおかしそうにして
「大丈夫ですとも。あなたは早くパンを置いておいでなさい。
そのうちに私はもう百位は集めて置きますから。」と云いました。
ホモイは、急いで角パンを取ってお家に帰って、台所の棚の上に載せて、又急いで帰って来ました。
見るともう狐は霧の中の樺の木に、すっかり網をかけて、口を大きくあけて笑っていました。
「はははは、ご覧なさい。もう四疋つかまりましたよ。」
狐はどこから持って来たか大きな硝子箱を指さして云いました。

本当にその中にはかけすと鶯と紅雀とひわと四疋入ってばたばたして居りました。

けれどもホモイの顔を見ると、みんな急に安心したように静まりました。

鶯が硝子越しに申しました。

「ホモイさん。どうかあなたのお力で助けてやって下さい。私らは狐につかまったのです。あしたはきっと食われます。お願いでございます。ホモイさん。」

ホモイはすぐ箱を開こうとしました。

すると、狐が額に黒い皺をよせて、眼を釣りあげてどなりました。

「ホモイ。気をつけろ。その箱に手でもかけて見ろ。食い殺すぞ。泥棒め。」

まるで口が横に裂けそうです。

ホモイは怖くなってしまって、一目散におうちへ帰りました。

今日はおっかさんも野原に出て、うちに居ませんでした。

ホモイはあまり胸がどきどきするのであの貝の火を見ようと函を出して蓋を開きました。

それはやはり火のように燃えて居りました。

けれども気のせいか、一所小さな小さな針でついた位の白い曇りが見えるのです。

ホモイはどうもそれが気になって仕方ありませんでした。そこでいつものように、フッフッと息をかけて、紅雀の胸毛で上を軽くこすりました。

けれども、どうもそれがとれないのです。その時、お父さんが帰って来ました。そしてホモイの顔色の変っているのを見て云いました。

「ホモイ。貝の火が曇ったのか。大変お前の顔色が悪いよ。どれお見せ。」そして玉をすかして見て笑って云いました。

「なあに、すぐ除れるよ。黄色の火なんか却って今迄より余計燃えている位だ。どれ。どれ。紅雀の毛を少しお呉れ。」そしてお父さんは熱心にみがきはじめました。けれどもどうも曇りがとれるどころか段々大きくなるらしいのです。

お母さんが帰って参りました。そして黙ってお父さんから貝の火を受け取ってすかして見てため息をついて今度は自分で息をかけてみがきました。

実にみんな、だまってため息ばかりつきながら、交る交る一生けん命みがいたのです。

もう夕方になりました。お父さんはにわかに気がついたように立ちあがって、

「まあご飯を食べよう。今夜一晩油に漬けて置いて見ろ。それが一番いいという話だ。」といいました。お母さんはびっくりして
「まあ、ご飯の支度を忘れていた。なんにもこさえてない。一昨日のすずらんの実と今朝の角パンだけを喰べましょうか。」と云いました。

「うんそれでいいさ」とおとうさんが云いました。ホモイはため息をついて玉を函に入れてじっとそれを見詰めました。

みんなはだまってご飯をすましました。

お父さんは

「どれ油を出してやるかな」と云いながら棚からかやの実の油の瓶をおろしました。

ホモイはそれを受けとって貝の火を入れた函に注ぎました。そしてあかりをけしてみんな早くからねてしまいました。

夜中にホモイは眼をさましました。

そしてこわごわ起きあがってそっと枕もとの貝の火を見ました。

貝の火は、油の中で魚の眼玉のように銀色に光っています。もう赤い火は燃えていませんでした。

ホモイは大声で泣き出しました。

兎のお父さんやお母さんがびっくりして起きてあかりをつけました。

貝の火はまるで鉛の玉のようになっています。

ホモイは泣きながら狐の網のはなしをお父さんにしました。

お父さんは大変あわてて急いで着物をきかえながら云いました。

「ホモイ。お前は馬鹿だぞ。俺も馬鹿だった。お前はひばりの子供の命を助けてあの玉を貰ったのじゃないか。それをお前は一昨日なんか生れつきだなんて云っていた。さあ野原へ行こう。狐がまだ網を張って居るかもしれない。お前はいのちがけで狐とたたかうんだぞ。勿論おれも手伝う。」

ホモイは泣いて立ちあがりました。兎のお母さんも泣いて二人の後を追いました。

霧がポシャポシャ降って、もう夜があけかかっています。

狐はまだ網をかけて、樺の木の下に居ました。そして三人を見て口を曲げて大声でわらいました。ホモイのお父さんが叫びました。

「狐。お前はよくもホモイをだましたな。さあ決闘をしろ。」

狐が実に悪党らしい顔をして云いました。

「へん。貴様ら三疋ばかり食い殺してやってもいいが、俺もけがでもするとつまらないや。おれはもっといい食べものがあるんだ。」

そして函をかついで逃げ出そうとしました。

「待てこら。」とホモイのお父さんがガラスの箱を押えたので狐はよろよろしてとうとう函を置いたまま逃げて行ってしまいました。

見ると箱の中に鳥が百疋ばかり、みんな泣いていました。雀やかけすやうぐいすは勿論、大きな大きな梟や、それにひばりの親子までがはいっているのです。

ホモイのお父さんは蓋をあけました。

鳥がみんな飛び出して地面に手をついて声をそろえて云いました。

「ありがとうございます。ほんとうに度々おかげ様でございます。」

するとホモイのお父さんが申しました。

「どう致しまして、私共は面目次第もございません。あなた方の王さまからいただいた玉をとうとう曇らしてしまったのです。」

鳥が一遍に云いました。

「まあどうしたのでしょう。どうか一寸拝見いたしたいものです。」

「さあどうぞ」と云いながらホモイのお父さんはみんなをおうちの方へ案内しました。

鳥はぞろぞろついて行きました。ホモイはみんなのあとを泣きながらしょんぼりついて行きました。

梟が大股にのっそのっそと歩きながら時々こわい眼をしてホモイをふりかえって見ました。

みんなはおうちに入りました。

鳥は、ゆかや棚や机やうち中のあらゆる場所をふさぎました。

梟が目玉を途方もない方に向けながら、しきりに「オホン、オホン」とせきばらいをします。

ホモイのお父さんがただの白い石になってしまった貝の火を取りあげて、

「もうこんな工合です。どうか沢山笑ってやって下さい。」と云うとたん、

貝の火は鋭くカチッと鳴って二つに割れました。

と思うと、
パチパチパチッと烈しい音がして
見る見るまるで煙のように砕けました。
　ホモイが入口でアッと云って倒れました。
目にその粉が入ったのです。
みんなは驚いてそっちへ行こうとしますと
今度はそこらにピチピチピチと音がして
煙がだんだん集まり、
やがて立派ないくつかのかけらになり、
おしまいにカタッと二つかけらが組み合って、
すっかり昔の貝の火になりました。
玉はまるで噴火のように燃え、
夕日のようにかがやき、
ヒューと音を立てて
窓から外の方へ飛んで行きました。

鳥はみな興をさまして、一人去り二人去り今はふくろうだけになりました。
ふくろうはじろじろ室の中を見まわしながら
「たった六日だったな。ホッホ
たった六日だったな。ホッホ。」
とあざ笑って肩をゆすぶって大股に出て行きました。
それにホモイの目は、もうさっきの玉のように白く濁ってしまって、
まったく物が見えなくなったのです。

はじめからおしまいまでお母さんは泣いてばかり居ました。

お父さんが腕を組んでじっと考えていましたがやがてホモイのせなかを静かに叩いて云いました。

「泣くな。こんなことはどこにもあるのだ。それをよくわかったお前は、一番さいわいなのだ。目はきっと又よくなる。お父さんがよくしてやるから。な。泣くな。」

窓の外では霧が晴れて鈴蘭の葉がきらきら光り、つりがねそうは
「カン、カン、カンカエコカンコカンコカンコカン。」と朝の鐘を高く鳴らしました。

●本文について

本書は『新修　宮沢賢治全集』(筑摩書房)を底本としました。なお原文の旧字・旧仮名、および送り仮名に関しては、原則として現代の表記を使用しています。参考文献＝『宮沢賢治コレクション3　よだかの星』(筑摩書房)。

※「誰」のルビを「たれ」としたのは、宮沢賢治の直筆原稿が一貫して「たれ」なので、賢治語法の特徴的なものとして生かしました。

※本文中に現在は慎むべき言葉が出てきますが、発表当時の社会通念とともに、作者自身に差別意識はなかったと判断されること、あわせて、作者の人格権と著作物の権利を尊重する立場から原文のままにしたことをご理解願います。

言葉の説明

[つんぼ]……耳が聞こえないこと。現在では差別用語と判断されるために使わない。

[楊の白い花]……枝がたれさがる種類のやなぎではなく、枝が上に向いている種類。花には綿のようなものができる。

[万能散]……薬の種類のひとつ。「万能」という名前からして、よく効く薬なのだろう。

[とちの実]……トチノキの実。直径3～4センチ。

[仁義をそなえた]……「仁」は広く他人やものを思いやり、いつくしみの心をもっていること。「義」は、おこないが道徳にかなっていることを意味する。

[祝着]……喜ばしいこと。めでたいこと。

[てした]……「手下」。自分の命令など、言うことをきく目下の者。

[卒倒]……気をうしなって倒れること。

[無調法]……「不調法」とも書く。うまくできないこと。

[前かけ]……エプロン。

[罰をかける][**罰にする]**……罰(ばつ)をあたえること。

[孝行]……子どもが親をたいせつにすること。

[地雷火]……地中に埋めておいて、人や物がそれをふむと爆発するしかけの爆弾のこと。

[興をさまして]……しらけて、という意味。

絵・おくはらゆめ

一九七七年兵庫県生まれ。辻学園日本調理師専門学校卒業。

調理師を経て絵本作家になる。

絵本や童話の挿絵のほか、NHKのEテレ「おかあさんといっしょ」の月の歌
「ようかいしりとり」や「すっぱ すっぱ すっぴょ！」の作詞やイラストなども手がける。

二〇〇八年のデビュー作『ワニばあちゃん』（理論社）でMOE絵本屋さん大賞新人賞受賞。

二〇一〇年『くさをはむ』（講談社）で第41回講談社出版文化賞絵本賞受賞。

二〇一二年『シルクハットぞくはよなかのいちじにやってくる』（童心社）で
第18回日本絵本賞受賞。

主な絵本に『チュンタのあしあと』（あかね書房）、『まんまるがかり』（理論社）、

『バケミちゃん』（講談社）、『ネコナ・デール船長』（イースト・プレス）、

『やきいもするぞ』（ゴブリン書房）、『みんなのはなび』（岩崎書店）、

『くろいながい』（あかね書房）、『しっぽがぴん』（風濤社）、

『たんぽぽはたんぽぽ』（大日本図書）などがある。

貝の火

作／宮沢賢治
絵／おくはらゆめ
発行者／木村皓一　発行所／三起商行株式会社
〒581-8505 大阪府八尾市若林町1-76-2
電話 0120-645-605
ルビ監修／天沢退二郎
編集／松田素子（編集協力／橘川なおこ）
デザイン／タカハシデザイン室
印刷・製本／丸山印刷株式会社
発行日／初版第1刷 2017年10月17日

64P. 26cm×25cm ©2017 Yume OKUHARA
Printed in Japan. ISBN978-4-89588-137-1 C8793